EN BUSCA DE LA
ENTRADA SECRETA
2

ROSARIO ANA

En busca de la entrada secreta 2

Libro 2 de la serie

Rosario Ana

Copyright © 2021, *Rosario Ana Álvarez López*

ISBN-13: 979-8460596713

Instagram.com/rosarioanaautora

Facebook.com/rosarioanaautora

www.rosarioana.com

www.enbuscadelaentradasecreta.com

AGRADECIMIENTOS

Gracias, como siempre, a Julia Po (Savage Edits) por sus preciosas ilustraciones.

Gracias a mi familia, por su aportación en la producción, en especial a mi padre.

Y muchas gracias a mi hija Zoe por escuchar mis historias una y otra vez sin pestañear.

Este libro va dedicado a ti.

Que este mundo no apague tus sueños ni tu luz.

ÍNDICE

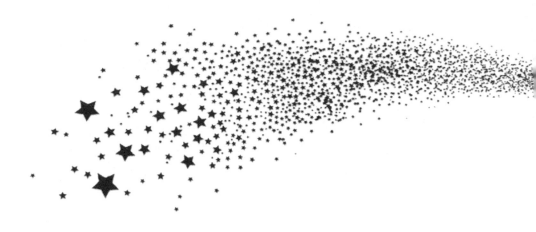

EL PROFESOR FRIEDMAN TIENE UNA FOTO

Alicia tomó el desayuno en silencio. La abuela le había preparado uno especial porque sabía que hoy estaría un poco triste. Habían sido las mejores vacaciones, resolver todos aquellos códigos ellos solos y descubrir a los oxys había sido increíble.

Su madre no tardaría en llegar para llevarla de vuelta a casa. Se levantó dispuesta a despedirse de su mejor amigo, Tom. Tom vivía lejos, en Inglaterra, así que no se podían ver durante el curso.

—Abuela, voy a casa de Tom. ¿Dónde está el abuelo? —preguntó mientras descolgaba su chaqueta del perchero de la entrada.

No quería irse sin hablar con el abuelo. Sabía que la noche anterior había ido a las montañas, donde estaba el Centro de Educación para Oxys, y quería que le contara todos los detalles. Desde que Alicia y Tom habían conocido a los oxys, eran su tema de conversación favorito, y a menudo perseguían al pobre abuelo para preguntarle cosas sobre ellos.

—Se fue temprano a la cabaña. Volverá enseguida —dijo la abuela sacando una bandeja de magdalenas del horno—. ¿Qué es ese alboroto ahí fuera?

Se oía un murmullo cada vez más intenso que parecía venir de la calle.

Alicia abrió la puerta para salir, pero se paró en seco. Una multitud de gente se agolpaba en el porche. Muchos llevaban cámaras y micrófonos y, en cuanto vieron a Alicia asomar por la puerta, se abalanzaron sobre ella haciéndole un montón de preguntas a la vez.

—¿Has visto a los extraterrestres?

—¿Son muy peligrosos?

—¿Está tu abuelo ayudándoles a preparar el ataque al planeta Tierra?

—¿Cuánto tiempo llevan viviendo aquí?

Se empujaban unos a otros intentando acercarse.

Cerró la puerta de golpe y se giró. La abuela la miraba paralizada. Las magdalenas se le habían caído al suelo y sujetaba la bandeja vacía con una mano.

—Abuela, vamos a poner la tele —dijo agarrándola por el brazo y llevándola al salón.

Encendió la televisión. En todos los canales hablaban de lo mismo.

La abuela se sentó en el sillón todavía con la bandeja en las manos y sin poder reaccionar. Siempre había sabido que el abuelo era, digamos, peculiar y que escondía sus secretos. Bueno, más que secretos ella las llamaba locuras. Como cuando desaparecía durante todo un día, o a veces dos, y cuando volvía solo le daba como explicación que había estado mirando las estrellas y se le había ido el santo al cielo, pero ¿esto? Esto sí que no se lo esperaba. Se acordó de cuando el abuelo trabajaba buscando vida en otros planetas y ella siempre le decía «Antonio, ¿no tienes bastante vida aquí ya?»

—El pequeño pueblo está situado en los Picos de Europa. Parece ser que los alienígenas se esconden en las montañas, preparándose para atacar. El profesor Friedman ha proporcionado esta foto de uno de ellos como prueba de su existencia —decía la presentadora, mientras un cartel de «NOTICIA URGENTE DE ÚLTIMA HORA» parpadeaba en rojo en la parte de abajo de la pantalla.

Se vio una foto de un oxy con sus enormes ojos negros y su diminuta boca. Estaba en modo bola, con el cuerpo escondido dentro de su gran cabeza.

—¡Oh no! —exclamó Alicia tapándose la boca con la mano.

El abuelo había enviado al profesor Friedman unos días al planeta Oxy después de que hubiese intentado secuestrar a uno de ellos, con la intención de que, al conocerlos un poco más, cambiase su actitud, pero parecía que no había servido para nada y seguía empeñado en convencer al mundo de que los oxys eran peligrosos.

—Alicia, ¿sabías algo de esto? —preguntó la abuela sin entender nada.

Entonces el abuelo apareció en la pantalla acompañado por varios hombres de traje negro. Se dieron cuenta de que estaban en el pueblo, justo al lado de la casa de la abuela, en la finca del vecino. El profesor Friedman iba con ellos. Tenía un móvil en la mano y enseñaba la foto del oxy a los periodistas y a otros curiosos que se habían acercado.

—¡Aquí está la prueba! ¡Hay que exterminarlos! —gritaba.

Su pelo largo y rubio asomaba por debajo del sombrero vaquero. La expresión de su cara era de odio y triunfo a la vez. Por fin había conseguido lo que quería, por fin le habían creído. Pronto entrarían en el escondite de los alienígenas y acabarían con ellos para siempre.

Se veían varias furgonetas negras y una especie de tienda de campaña de gran tamaño donde metieron al abuelo.

—El profesor Antonio Durán ha sido custodiado por el Servicio de Seguridad Nacional para obtener más información sobre el suceso. —La televisión retransmitía en directo lo que estaba sucediendo—. La zona ha sido cerrada por la policía y no se podrá entrar ni salir de ella.

—Abuela... —dijo Alicia sin saber muy bien cómo explicarle lo que sucedía.

—Alicia, no hace falta que me digas nada. Tengo que hablar con el abuelo. Vuelvo enseguida. —Y se levantó del sillón con la intención de ir a verle a la tienda de campaña.

Pasó entre las magdalenas sin preocuparse de recogerlas y salió a la calle. Así de grave era el asunto. Alicia vio por la ventana como apartaba a los periodistas y se dirigía a la finca del vecino.

Alicia resopló. No le gustaría estar en la piel del abuelo. La abuela era la persona más dulce y cariñosa del mundo, pero las pocas veces que se enfadaba se ponía muy muy seria.

¿Qué iba a hacer ahora? Tenía que hablar con Tom.

Alguien llamó al timbre. Miró por la ventana y vio al pobre Tom con cara de susto rodeado de micrófonos.

—¡Alicia! —gritó aporreando la puerta.

Corrió a abrirle y cerraron la puerta con esfuerzo, mientras los periodistas seguían lanzando preguntas absurdas sobre el número de tentáculos de los alienígenas o si movían objetos con la mente.

—¿Qué vamos a hacer? —dijo Tom, que había mejorado mucho su español durante el verano.

Alicia recogió las magdalenas que había en el suelo pensando en alguna forma de salir de aquel embrollo.

—Tenemos que avisar a los oxys para que se vayan a su planeta antes de que los descubran.

—¿Crees que podremos llegar a la entrada antes que los del Servicio de Seguridad Nacional? El abuelo dijo que la única forma de comunicarse con ellos era ir en persona —recordó Tom.

El Centro de Educación para Oxys estaba metido entre las montañas que se divisaban desde el pueblo. Lo habían escondido tan bien, que solo se podía llegar a él a través de un curioso tubo que pasaba bajo el agua de un lago.

—Tenemos que intentarlo —dijo Alicia.

El timbre volvió a sonar. Era Eutimia, una vecina.

El pueblo era pequeño, y todos se enteraban de cualquier suceso casi al instante, así que lo de hoy seguramente ya tenía a los habitantes revolucionados.

Fueron a abrirle la puerta. Venía cargada con dos bolsas hasta arriba de comida.

—¿Estáis bien? —les preguntó. Se había puesto especialmente elegante con un delantal haciendo juego con una pañoleta que le tapaba el pelo, su complemento favorito.

—Sí, Eutimia, gracias —contestó Alicia.

—Os traigo dos empanadas, bollos, mermelada casera, uvas...

Eutimia siguió nombrando la comida que llevaba en las bolsas mientras Tom y Alicia trataban de sujetar todo aquel peso.

—Pero, Eutimia, mi abuela volverá pronto.

—Solo es algo para picar —explicó arreglándose el lazo del pañuelo y sonriendo a un periodista que le sacaba una foto. —A ver si estos locos se van ya —susurró—. ¿Os podéis creer qué cosa se les ha metido en la cabeza? ¡Extraterrestres en nuestras montañas! ¡Ya era lo que nos faltaba! Hombre, yo, si fuera extraterrestre, de venir también vendría aquí —dijo posando para otra foto como si fuese lo más natural del mundo.

—Gracias por la comida, Eutimia. ¡Huele muy bien! —exclamó Tom.

—Si necesitáis más avisadme —dijo, y se fue encantada de haber sido el centro de atención por unos momentos.

—No creo —comentó Tom echando un vistazo a una de las bolsas. Allí había comida para el mes entero.

Lo guardaron todo y se pusieron a pensar otra vez.

Alicia estaba preocupada; ahora no era solo un malvado científico el que buscaba a los oxys, sino el mismísimo Servicio de Seguridad Nacional, pero no se iban a rendir. Como decía su padre: «Cada problema tiene su solución, solo hay que encontrarla».

—Vamos, Tom, podemos salir por la puerta de atrás.

Los abuelos vivían en una casa antigua de piedra que había sido reformada. En la parte de atrás había una curiosa y diminuta puerta. No sabían muy bien para qué se usaba en el pasado, pero a la abuela le había hecho gracia y decidieron no quitarla. Estaba medio escondida entre arbustos, así que era perfecta para escaparse.

Metieron algunas cosas en la mochila y salieron por la mini puerta. Miraron a todos lados. No se veía a nadie. Caminaron a través del huerto y comenzaron a subir por la montaña lo más rápido que podían.

Estaban tan concentrados en llegar lo antes posible que no dijeron ni una palabra durante todo el camino. La seguridad de los oxys dependía de ellos, no podían fallarles.

Cuando por fin vieron el lago, echaron a correr hacia él.

¡No había nadie! ¡Lo habían conseguido!

De pronto, oyeron un ruido muy fuerte en el cielo y vieron dos helicópteros que pasaban sobre sus cabezas. Fueron corriendo a esconderse detrás de unas rocas.

Los helicópteros aterrizaron cerca del lago y vieron cómo varias personas bajaban enfundadas en trajes de neopreno. Traían mochilas de las que empezaron a sacar objetos extraños. Uno parecía una sierra eléctrica. También llevaban cuerdas y picos, y hasta tenían una especie de mini excavadora.

Dos de ellos se pusieron unas gafas de buceo y se metieron en el agua.

Los amigos se miraron decepcionados. Habían llegado tarde.

De vuelta a casa fueron pensando en cómo resolver la situación, pero no veían la manera. Con todos aquellos aparatos seguro que los submarinistas acabarían entrando en el tubo que llevaba al Centro de Educación para Oxys.

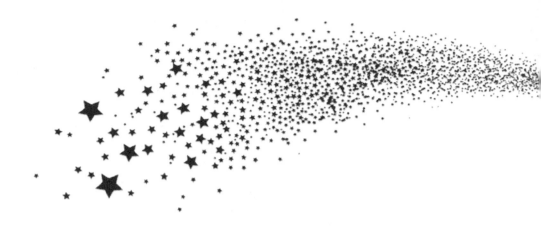

EL MENSAJE DEL ABUELO

Llegaron a casa y se sentaron en el sillón, desanimados y sin saber muy bien qué hacer. Encendieron la televisión para ver qué decían las noticias.

—Nuestra reportera va a hacer unas preguntas al profesor Antonio Durán en exclusiva.

—¡El abuelo! —gritó Alicia subiendo el volumen.

El abuelo apareció en pantalla con un hombre de traje negro a cada lado. Estaban frente a la tienda de campaña.

El abuelo era, para explicarlo pronto, como Santa Claus, pero más gruñón. Tenía el pelo y la barba muy blanca, y también compartía con el personaje su gran barriga, de la que era culpable, en parte, la deliciosa comida que Eutimia les traía cada poco.

La reportera era una chica joven, aunque iba vestida y peinada como si fuera mucho mayor, con un traje de chaqueta y falda, y un pelo voluminoso y demasiado arreglado. Se dirigió al abuelo y comenzó a hacerle preguntas.

—Profesor Durán, ¿qué armas poseen los alienígenas para atacarnos? ¿Usan rayos láser o algo similar? —dijo acercándole el micrófono.

El abuelo la miró de reojo y murmuró algo entre dientes. No podía ocultar su enfado.

—¿Está usted ayudándoles a organizarse para el ataque? ¿Se alimentan de humanos?

El abuelo parecía cada vez más cabreado, pero se contenía sin decir palabra. Casi se podía ver el humo saliéndole por las orejas. Entre toda la tensión que suponía la situación, a Alicia y a Tom les dio la risa.

—¿Tienen algún superpoder como fuerza sobrehumana o hacerse invisibles?

El abuelo la miró con cara de asombro ante tal ocurrencia y bajó la cabeza de nuevo.

—El profesor Durán se niega a contestar. Solo nos queda esperar a que el equipo de buceo consiga abrir la entrada a la guarida de los extraterrestres —comentaba la reportera.

El abuelo parecía ahora pensativo. De repente, levantó la cabeza y miró a la cámara.

—¡Sí, sí! Emmm lo que quiero decir es que... —pensó unos segundos antes de continuar— las torres de sabiduría esconden la solución. La puerta es la Antártida. El Desierto Blanco se abre con la llave. El ojo de Galileo sabe dónde está. Solo entrarás en el ave con la piedra del árbol que murió hace tiempo.

Seguidamente puso sus manos en forma de flecha juntando los dedos por la punta y cantó unas notas. Luego miró a la cámara con los ojos muy abiertos y asintió.

La periodista se había quedado muda y miraba al abuelo boquiabierta.

—Gra-gracias por sus declaraciones —dijo finalmente dando un paso a un lado para alejarse, asustada de la reacción del hombre. —Devolvemos la conexión a la central.

El profesor Friedman había salido en ese momento de la tienda de campaña. Le había dado tiempo a ver las manos colocadas en forma de flecha.

—¡Está enviando un código! —gritó desesperado entrando de nuevo en la tienda.

Alicia salió corriendo hacia la cocina. Ella también se había dado cuenta. Revolvió en un cajón hasta que sacó una pequeña libreta y un bolígrafo. Estaba segura de que estaba intentando decirles algo para ayudarles a salvar a los oxys.

Escribió lo que había oído.

—«Las torres de sabiduría esconden la solución». «La puerta es la Antártida». Tom, ¿qué más?

Tom miró al suelo recordando lo que acababa de oír.

—Y algo del «Desierto Blanco» y el «ojo de Galileo», y un «árbol muerto».

Alicia lo añadió y lo leyó todo en voz alta.

—«Las torres de sabiduría esconden la solución», «la puerta es la Antártida», «Desierto Blanco», «ojo de Galileo» y «árbol muerto». Y luego ha hecho eso con las manos y la canción.

—Parece realmente complicado —dijo Tom mirando el papel.

—El profesor Friedman se ha dado cuenta de que nos estaba mandando un código.

Las torres de sabiduría esconden la solución.

La puerta es la Antártida.

Desierto Blanco.

Ojo de Galileo

Árbol muerto.

—Pues mejor nos damos prisa, Alicia. ¡Tenemos que descifrarlo! —exclamó Tom, que parecía haberse vuelto más valiente después de la última aventura.

Alicia arrancó la hoja de la libreta de notas y se la metió en el bolsillo del pantalón.

Oyeron el timbre y fueron a mirar por la ventana. Aurelio, el lechero, se había adentrado en la marea de periodistas con una de sus vacas y había logrado que se alejaran de la puerta.

Esto era lo que más le gustaba a Alicia del pueblo, eran como una gran familia. A veces tenían sus desavenencias, pero al final todos se preocupaban de lo que les pasaba a los demás e intentaban ayudar.

Aurelio era uno de sus vecinos favoritos. Era un hombre corpulento y alto, que parecía no alterarse nunca, con una mata de pelo oscuro y una sonrisa perpetua. Siempre era amable con ellos y los hacía reír.

Corrieron a abrirle.

—¿Estáis bien? —les preguntó.

—Sí, Aurelio, gracias —respondió Alicia.

—No parecen peligrosos —dijo Tom sacando la cabeza y echando un vistazo a los periodistas, algunos de los cuales se tapaban la nariz ante el fuerte aroma de la vaca.

—Alicia, no dejarán entrar a tu madre en el pueblo. ¿Dónde está tu abuela?

—Se ha ido a ver al abuelo a la tienda de campaña, volverá pronto.

—¿Tus padres están de ruta en las montañas, Tom? —preguntó Aurelio.

—Sí, salieron temprano. Seguramente ni se habrán enterado de lo que ha pasado.

—He conseguido un aparatejo de estos. —Aurelio sacó del bolsillo un móvil enorme que parecía tener muchos años —Llamadme para cualquier cosa que necesitéis. Este es el número —les dijo entregándoles una servilleta del bar del pueblo —¿Tienes el móvil, Tom?

Los padres de Tom solían dejarle un móvil cuando se iban de ruta.

—Sí, Aurelio.

—Seguro que se cansarán pronto de esta tontería. La gente de la ciudad no respira aire limpio y eso es malo para el cerebro —dijo mientras se alejaba tranquilamente, seguido de la vaca y saludando con la cabeza a los periodistas.

Aurelio les había tomado cariño, y no era el único; en el pueblo no había casi niños y era una alegría para todos cuando Alicia y Tom llegaban para pasar las vacaciones, así que siempre estaban pendientes de ellos. Bueno, por eso y por si hacían alguna de las suyas.

Se sentaron de nuevo mirando el papel.

—¿Qué crees que quiere decirnos, Alicia?

—Tiene que ser algo que nos ayude a avisar a los Oxys de lo que está pasando. Vamos al ordenador de mi abuelo.

Subieron a la buhardilla donde había una zona de estudio. Encendieron el ordenador y Alicia abrió el buscador. Escribió «Torres de sabiduría» y aparecieron varios libros con títulos similares.

—Solo salen libros, Tom.

—Quizás se refiera a algún libro de la estantería.

Había una enorme estantería llena de libros que cubría toda la pared. Se levantaron y los revisaron todos para saber si había alguno con el título «Torres de sabiduría».

—No he encontrado nada, ¿tú? —dijo Tom bajando de una pequeña escalera que usaban para alcanzar las estanterías más altas.

—Tampoco, pero mi abuelo tiene más libros en la cabaña —recordó Alicia.

—Tienes razón, tenemos que ir.

Miraron por la ventana. Los periodistas se habían dispersado un poco y hacían preguntas a un par de vecinos que pasaban por allí. Vieron que en la puerta había ahora un hombre con traje negro.

—Seguro que lo ha enviado el profesor Friedman para que nos vigile. ¿Cómo vamos a ir a la cabaña sin que nos siga? Hay que cruzar al otro lado del pueblo para llegar —dijo Tom.

Alicia pensó un momento.

—Podemos llamar a Aurelio. Quizás él nos pueda ayudar. Tom sacó el móvil y la servilleta, y llamó.

—Aurelio, queremos ir al otro lado del pueblo, a la cabaña del abuelo. No podemos salir con toda esta gente siguiéndonos. ¿Se te ocurre algo? —preguntó—. Vale —dijo, y colgó.

—¿Qué ha dicho? —preguntó Alicia.

—Que le esperemos en la parte de atrás —dijo Tom guardando el móvil otra vez en el bolsillo.

Salieron por la mini puerta y al poco rato ya vieron aparecer a Aurelio con Pascual, un burro blanco que utilizaba a veces para tirar de un pequeño carro con las botellas de leche. Pasó por delante de la casa tranquilamente y la rodeó hasta llegar a la parte de atrás. Ni los periodistas ni el hombre de traje negro le hicieron mucho caso.

—Venga, meteros dentro del carro.

—¡Qué buena idea, Aurelio! —dijo Tom.

—Se subieron y se escondieron bajo unas mantas que Aurelio había colocado allí.

El paseo fue bastante movidito. Los caminos estaban llenos de piedras y baches. Además, Pascual no paraba de dar saltos, seguramente asustado por toda la gente desconocida que había en el pueblo, así que no hacían más que darse coscorrones contra las paredes del carro.

Al rato, Aurelio los destapó.

—Hemos llegado.

Los amigos salieron un poco aturdidos. Alicia estaba aún más despeinada de lo habitual, pero le daba igual. Tom se aplastó un poco el pelo que apuntaba en todas direcciones, como si hubiese metido los dedos en un enchufe.

Aurelio los miró y echó una carcajada.

—Ayyy hombre… —dijo moviendo la cabeza de un lado a otro—. Divertíos y no hagáis ninguna trastada.

Aurelio ni siquiera sospechaba que tenían un objetivo muy distinto.

Acariciaron al precioso Pascual y le agradecieron el favor a Aurelio.

Al entrar en la cabaña, encontraron el extraño reloj del abuelo en el suelo. Estaba totalmente destrozado, como si alguien lo hubiese machacado con una piedra. Alicia pensó que seguramente había sido el abuelo cuando vio lo que pasaba, sabiendo que la música de las horas en punto del reloj abriría la entrada secreta que llevaba a donde estaban los oxys.

Los montones de libros seguían allí, como cuando habían descubierto aquella cajita detrás de una piedra en la pared al principio del verano.

—Voy a empezar por esta torre —dijo Tom acercándose a una de las pilas de libros. Entonces miró a Alicia.

—¡Torres! —dijeron los dos a la vez.

—«Torres de sabiduría» son torres de libros. ¡Hemos resuelto la primera parte! —exclamó Alicia.

—«Las torres de sabiduría esconden la solución» —repitió Tom recordando el código del abuelo y ojeando ya uno de los libros. Miraron y miraron, pero sin ningún éxito.

—Luego está lo de «la puerta es la Antártida» —dijo Alicia—. ¿Has visto algún libro de geografía?

—Sí, creo que hay uno por aquí.

Tom buscó en una de las pilas de libros hasta que encontró un atlas. Lo abrieron y localizaron la Antártida en la parte más al sur de un mapa del mundo. Lo pusieron a contraluz por si había algún mensaje escondido en el papel, pero allí no había nada.

—Quizás no lo estemos haciendo bien, Alicia. Puede que se refiera a que está en esta cabaña, no en los libros.

—¿Y debajo de los libros?

—¡Vamos a mirar!

Apartaron todos los libros y los arrimaron a las paredes. Movieron también la mesa y la pusieron al fondo de la cabaña.

Examinaron el suelo, que era de tierra. Todo parecía normal.

El atlas había quedado abierto encima de la mesa. Alicia miró al atlas y luego al suelo, y otra vez al atlas.

—¡Lo tengo! «La puerta es la Antártida» —exclamó señalando la Antártida en el atlas—. Se refiere a la puerta de la cabaña.

La forma de la cabaña era rectangular y la puerta de entrada coincidía con la situación de la Antártida en el mapa del mundo.

—¡Claro! ¡Tienes razón!

Oyeron un trueno y comenzó a llover.

—Ahora hay que buscar el Desierto Blanco —dijo Alicia cada vez más animada.

Buscaron en el mapa, pero no consiguieron encontrarlo por ningún sitio.

La lluvia era cada vez más intensa.

El móvil de Tom sonó.

—¿Sí? —contestó.

—Hola, Tom. Soy el inspector Carrón del Servicio de Seguridad Nacional —dijo un hombre con una voz ronca y grave.

Se oyó otro trueno, parecía que la tormenta estaba cada vez más cerca. Llovía sin parar y el sonido de la lluvia retumbaba en la cabaña.

La voz se perdía y Tom acercaba más el teléfono a su oreja para escuchar lo que decía el inspector.

—¿Cómo? —dijo Tom.

—Lo siento, la abuela y el abuelo de Alicia están retenidos hasta que aclaremos este asunto. Los submarinistas han tenido que parar debido a las lluvias. ¿Hola? ¿Me escuchas?

La conversación era cada vez más complicada. Además, para Tom, hablar por teléfono no era fácil, ya que el español no era su primera lengua.

—Entiendo. Gracias —dijo, y colgó.

—¿Qué pasa? —preguntó Alicia.

—Era el inspector Macarrón… creo.

—¡¿El inspector Macarrón?! —exclamó Alicia poniendo una mueca de extrañeza.

—Sí, ha dicho que los submarinistas han tenido que parar por las lluvias y que tu abuelo y tu abuela están retenidos hasta que todo se solucione.

—Eso nos da más tiempo para resolver el código —dijo Alicia—. Creo que necesitamos internet para encontrar el Desierto Blanco. Tenemos que volver a casa.

Esperaron a que la lluvia no fuese tan fuerte y se fueron. No se veía ningún periodista por el pueblo. De camino pasaron por el bar y observaron como todos se amontonaban dentro. Alicia pensó que María, la dueña del bar, debía de estar encantada con todos aquellos clientes con las gargantas secas de tanto hacer preguntas.

Al llegar a casa de los abuelos, vieron que el hombre de traje negro estaba mirando su móvil mientras sujetaba un paraguas, así que se apresuraron a rodear la casa para entrar por la mini puerta.

Una vez en casa fueron al ordenador. Tom tecleó «Desierto Blanco» y aparecieron varias fotos preciosas de un peculiar desierto con formas de piedra blanca.

—¡Es Egipto! —exclamó Tom.

—¡Otra parte resuelta! Ahora hay que descifrar «ojo de Galileo».

Tom puso «Galileo» en el buscador y leyó:

—«Galileo Galilei fue un físico, matemático y astrónomo italiano que dedicó su vida a la enseñanza y a la investigación acerca de las leyes del universo. Fue el primero en usar un telescopio refractor. También...»

—¡Un momento! ¡El telescopio! ¡El «ojo de Galileo» puede ser el telescopio!

Los dos se giraron a mirar el enorme telescopio que había en la habitación y que apuntaba al cielo a través de una ventana en el tejado. El abuelo y Alicia lo usaban muy a menudo cuando estaba despejado. A veces incluso lo sacaban al huerto y se sentaban disfrutando del aire fresco de la noche. Alicia sabía utilizarlo perfectamente, y también sabía cómo identificar muchas constelaciones y estrellas.

Alicia miró el telescopio por todas partes. Recordaba que, en algún momento, cuando el abuelo estaba enviándoles el código por televisión, había dicho algo sobre una llave, así que pensó que quizás podía estar escondida allí.

Miró por todos lados sin encontrar nada.

—Tom ¿puedes mirar en el objetivo? Yo no llego. Quizás haya algo ahí dentro.

—Sí, claro.

Tom era bastante más alto y lo alcanzó fácilmente.

—Aquí no hay nada. Quizás no se refería al telescopio —dijo Tom.

Leyeron toda la biografía de Galileo sin sacar nada en claro. Estaban atascados. Comieron algo y se pasaron el resto de la tarde dándole vueltas al código.

La tormenta y los truenos duraron todo el día. Al anochecer, las nubes se retiraron y quedó un precioso cielo estrellado. El clima del norte era así, impredecible y con carácter.

Los padres de Tom le llamaron. Al volver de la excursión, se habían encontrado a la policía a la entrada del pueblo y no habían podido entrar.

—*I'm fine, mum. Don't worry* —decía Tom tranquilizando a su madre.

Los dos amigos estaban nerviosos. Seguramente al día siguiente los submarinistas lograrían abrir la entrada y todavía no tenían ni idea de cómo avisar a los oxys.

Alicia pensó que no tenía sentido que el abuelo les enviase un código que no podían resolver. Se les estaba escapando algo. Estaba segura de que el «ojo de Galileo» se refería al telescopio, pero ¿qué tenían que hacer con él?

Entonces se levantó y miró por el telescopio. El cielo estaba despejado y había Luna Nueva, así que las estrellas se veían de maravilla.

—Apunta a una constelación. No estoy segura de cuál es. —Fue hacia las estanterías y alcanzó un libro titulado «Guía de constelaciones y estrellas». Era la que usaban ella y el abuelo. Volvió a mirar. Luego abrió el libro y pasó las páginas—. Aquí está —dijo señalando un grupo de estrellas unidas por unas líneas—. Es la constelación de Lyra. ¿Crees que tiene algo que ver con el código? —preguntó.

Tom miró el dibujo.

—¿El símbolo de la constelación es este instrumento musical?

—Sí, se parece a un arpa, aunque mucho más pequeña. ¡El arpa de mi abuela! —exclamó Alicia, que había dejado caer el libro y ya corría hacia la habitación donde se guardaba el instrumento.

La abuela de Alicia siempre había tocado el arpa, hasta que la artritis en las manos se lo había puesto demasiado difícil, así que ahora descansaba tapada por una tela de terciopelo rojo para que no se ensuciase.

Quitaron la tela y miraron por todos lados. Al pasar la mano por la parte de abajo, Alicia notó algo. Se agachó a mirar.

—¡Es una llave! —gritó.

Sacó una pequeña llave con un trozo de cinta adhesiva todavía pegada.

—¡Nos estamos acercando, Alicia!

—Ahora tenemos que volver a la cabaña y buscar el Desierto Blanco en el suelo, Tom.

Se sentían más decididos que nunca. Tenían que descifrar el código como fuera.

Miraron por la ventana. No había ningún periodista, seguramente se habían ido a dormir al hotel del pueblo. Vieron al hombre de traje negro apoyado en la puerta comiéndose un sándwich.

—Tenemos que despistarle —dijo Tom.

—¿Y si soltamos a Adela? —sugirió Alicia poniendo una sonrisa pícara.

Tom se rió. Esas cosas siempre se le ocurrían a ella.

—¡Es una idea estupenda!

Adela era una gallina de armas tomar. Tenían que sacarla con cuidado porque si había alguien que no conocía, le salía la mala leche y era peor que soltar a un toro. Además, la comida ajena la volvía especialmente loca. Cualquier cosa le gustaba más que el pienso para gallinas que le daban los abuelos.

Fueron a por unas linternas y salieron por la mini puerta hacia el huerto donde estaban las gallinas. Sacaron a la pobre Adela, que estaba medio dormida en su caseta, y fueron bordeando la casa hasta que vieron al hombre desde la esquina.

Soltaron a Adela. Primero se quedó quieta sin hacer nada, mirando alrededor para saber dónde estaba, pero, de repente, vio al hombre y al sándwich, y empezó a cacarear tan alto que hasta Alicia y Tom se asustaron. El hombre pegó un brinco, pero ya era tarde; Adela se lanzó al sándwich dando saltos y agitando las alas. El hombre, aterrado, tiró el sándwich al suelo y se tapó la cara. Entonces aprovecharon y salieron corriendo hacia el otro lado del pueblo.

Alicia pensó que el Servicio de Seguridad Nacional no le daba demasiada seguridad si dos niños podían escapar sin mucho esfuerzo usando una gallina.

Entraron en la cabaña y miraron el atlas para ver donde estaba Egipto. Luego pusieron el atlas en el suelo.

—Si la puerta es la Antártida, Egipto quedará más o menos por aquí. —Alicia marcó con el pie una cruz en el suelo.

Salieron a por unos palos y empezaron a retirar tierra de donde Alicia había hecho la cruz. En seguida dieron con algo duro.

—¡Aquí hay algo! —dijo Tom emocionado.

Limpiaron toda la tierra de alrededor hasta descubrir una trampilla de madera con una cerradura. Alicia sacó la llave que habían encontrado en el arpa, la introdujo en el cerrojo y la giró. Tiraron de la trampilla hacia arriba y se asomaron al agujero. Estaba oscuro y no veían nada. Alumbraron con las linternas y vieron unas escaleras de cuerda que descendían.

—Tom, ¿Puedes enfocar con tu linterna? Voy a bajar.

—Claro.

Alicia bajó por las escaleras hasta que llegó al suelo.

Sacó su linterna y miró a su alrededor para ver donde estaba.

—¡Esto es estupendo! ¡Ven Tom! —dijo iluminando la escalera para que Tom pudiera bajar.

Tom descendió rápidamente, el grito de Alicia había despertado su curiosidad. Cuando estaba abajo, Alicia apuntó hacia algo con la linterna y Tom la vio.

—¡Una canica gigante! —Así había bautizado Tom a las naves espaciales de los Oxys.

Era totalmente esférica y preciosa. Parecía hecha de cristal transparente y tenía unas vetas doradas que le daban un aspecto mágico. Era bastante grande. La tocaron. Era suave y estaba fría.

—¿Qué hace aquí? ¿Qué se supone que tenemos que hacer con ella? —preguntó Tom.

—Volar, claro —respondió Alicia sonriendo.

Tom la miró con cara de susto.

—¿Volar? ¿Estás loca? ¿Cómo vamos a hacerlo? ¿Y a dónde vamos a volar?

—A las montañas donde están los oxys para avisarlos —dijo Alicia, que ya veía claro lo que el abuelo pretendía.

—¿En serio? —Tom no dejaba de mirar la extraordinaria nave—. ¿Y cómo vamos a sacarla de aquí?

Alicia apuntó con la linterna al otro lado.

—Creo que es un túnel.

Hacia un lado de la canica solamente había una pared de tierra, pero hacia el otro lado había un túnel por donde la canica cabría perfectamente. Caminaron unos pasos y vieron que era largo, no se veía el final.

—Seguro que sale al exterior por algún sitio, pero hay algo que todavía tenemos que averiguar: cómo entrar en la canica y cómo usarla —comentó Alicia.

Sacó el papel con las palabras del código del abuelo.

—Tenemos «árbol muerto» y luego las manos en forma de flecha y una canción —dijo Alicia.

—Las manos en forma de flecha y los sonidos me recuerdan a cómo se comunican los oxys.

—Sí, tiene sentido. Seguro que tenemos que usar su lengua para controlar la nave.

—¿Recuerdas los sonidos? —preguntó Tom.

—No —dijo Alicia con un suspiro.

La verdad es que a ninguno de los dos se le daba muy bien la música. A Alicia no le gustaba mucho y Tom solo tocaba un poco la flauta porque era obligatorio en el colegio.

—Si pudiéramos hablar con tu abuelo una vez más —dijo Tom.

Alicia pensó un momento.

—¡Claro, tienes razón! ¡Tenemos que hablar con el abuelo!

—Pero ¿cómo lo vamos a hacer con todos esos hombres del Servicio de Seguridad Nacional vigilando la tienda de campaña? —preguntó Tom.

—Seguro que se nos ocurrirá algo. Ya has visto que no es tan difícil.

Tom se apoyó en la pared y sacó un bollo de Eutimia que se había metido en el bolsillo.

—Tienes razón —dijo mordiendo un trozo. Lo saboreó y lo miró con admiración—. ¡Esto está delicioso!

Alicia lo vio disfrutar del bollo y tuvo una idea.

—Tom, creo que ya sé cómo podemos hacerlo. Vamos a casa, te lo explicaré por el camino.

Salieron del túnel y fueron de vuelta mientras Alicia le contaba lo que se le había ocurrido.

Cuando llegaron a casa de los abuelos se acercaron despacio para ver donde estaba el hombre de traje negro. Se había sentado en el suelo y estaba apoyado en la pared durmiendo. No había ni rastro del sandwich, ni de Adela, que seguramente estaría también durmiendo en alguna esquina, pero a diferencia del hombre de negro, con la barriga llena.

Se rieron y entraron tranquilamente por la puerta principal. Metieron en una bolsa algunas de las cosas que Eutimia les había traído. Eutimia tenía fama de ser la mejor cocinera del pueblo. Además, le encantaba compartir lo que cocinaba con los vecinos, así que todos tenían la oportunidad de disfrutar de su don.

Salieron con cuidado de no despertar al hombre y se dirigieron a la finca del vecino, donde estaban las furgonetas y la tienda de campaña. Entonces se separaron. Alicia se escondió entre unos matorrales y Tom se acercó a varios hombres de traje negro que hablaban en la entrada de la tienda de campaña. Uno de ellos les explicaba algo. Era un hombre serio, de pelo oscuro y con bigote. Tom enseguida reconoció su voz ronca.

—¡Inspector Macarrón, inspector Macarrón! ¡Soy Tom! Hablamos hace un rato por teléfono —gritó acercándose—. El hombre le echó una mirada que Tom no entendió y los demás hombres rieron divertidos—. Seguramente no habéis comido mucho. ¿Os apetecería probar unos bollos? También tengo empanada.

Tom abrió la bolsa y se la acercó para que pudieran oler aquella maravilla. Los hombres echaron un vistazo e inmediatamente quedaron enganchados. Metieron la mano y comenzaron a saborear los manjares.

—Hmmm —decían relamiéndose.

Mientras tanto, Alicia se había metido en la tienda y había encontrado al abuelo y a la abuela durmiendo en unas literas. Zarandeó suavemente al abuelo que dormía en la litera de abajo.

—Abuelo, despierta —susurró.

El abuelo abrió los ojos y se incorporó.

—Alicia, ¿cómo has entrado? ¿Habéis encontrado la nave?

—La última parte, ¡necesito la última parte!

Oyeron que alguien se acercaba a la tienda. No tenían tiempo, alguien iba a entrar.

—Do, sol, mi —susurró el abuelo, y se hizo el dormido mientras Alicia corría a esconderse detrás de una silla.

Dos hombres de traje negro entraron comiendo empanada.

—Estoy pensando en mudarme a este pueblo. Esto está buenísimo —decía uno de ellos.

Se acercaron a un escritorio y ojearon unos papeles.

Entonces Alicia salió con cuidado de no hacer ruido.

Tom apareció al poco rato con la bolsa vacía.

—Ya tengo las notas musicales. Volvamos a la cabaña —dijo Alicia.

De repente, el profesor Friedman apareció frente a ellos.

—¿A dónde vais tan deprisa? —Iba acompañado del inspector Carrón.

—Solo vamos a dar un paseo —explicó Alicia.

—¿A estas horas? Claro, claro —dijo el profesor Friedman riendo.

—Es mejor que os quedéis con nosotros. No quiero que andéis solos por ahí. Venid, os dejaremos dormir en la furgoneta grande —dijo el inspector.

—Inspector Macarrón, solo vamos de paseo, de verdad —suplicó Tom.

—¡Es Carrón! ¡Carrón! —exclamó el inspector poniendo los ojos en blanco.

Intentaron zafarse, pero los hombres eran demasiado fuertes y les fue imposible, así que al final desistieron. Los llevaron a una furgoneta enorme con unos sillones y un escritorio en la parte de atrás.

En cuanto se quedaron solos trataron de abrir las puertas.

—Está cerrado, es imposible salir de aquí —dijo Alicia resoplando con fastidio.

—¿Y ahora qué hacemos?

Pasaron un rato dándole vueltas a la cabeza.

—¿Qué les pasará a los oxys si los encuentran? —preguntó Tom.

—Seguro que los llevaran a un laboratorio para estudiarlos. Y al abuelo lo detendrán para siempre.

Alicia estaba triste. Era la primera vez que no veía ninguna salida. Se tumbó en uno de los sillones y miró al cielo por el techo de cristal de la moderna furgoneta. «Los oxys no se merecen esto», pensó.

En ese momento oyeron una voz conocida. Se levantaron rápidamente a mirar por la ventanilla y vieron a la madre de Alicia hablando con el inspector Carrón. Estaban caminando hacia la furgoneta.

—Gracias por dejarme entrar en el pueblo, inspector.

—No quería dejarlos pasar la noche ahí. Tiene que prometerme que no saldrán de casa hasta que esto se resuelva.

No es el mejor momento para andar solos por el pueblo.

—Por supuesto, inspector.

El profesor Friedman iba detrás refunfuñando.

—¡No! ¡Tienen que quedarse ahí! ¡Se las apañarán para escapar! —gritaba.

—Profesor Friedman —dijo el inspector girándose hacia él con cara de fastidio, sin entender qué peligro podía suponer un par de niños—, uno de mis hombres se asegurará de que no salgan de casa, si así se queda más tranquilo.

—¿Cómo? ¿Echándose una siesta como el anterior? —dijo gruñendo por lo bajo.

Abrieron la puerta de atrás y Alicia abrazó a su madre.

—¿Estáis bien?

—Sí, mamá. Menos mal que has venido. —Alicia volvía a tener esperanzas y sonreía feliz. El profesor Friedman la miró sin poder ocultar su rabia.

—Venga, nos vamos a casa —dijo su madre.

Los tres se fueron seguidos por uno de los hombres de traje negro.

Una vez en casa, vieron como la madre de Alicia, acompañada por el hombre, daba vueltas alrededor de la casa buscando posibles salidas por las que pudieran escapar. Los miraron por las ventanas cruzando los dedos para que no se dieran cuenta de que la pequeña puerta de atrás estaba abierta, pero el hombre se acercó al matorral que la tapaba y la señaló. La madre de Alicia fue a buscar la llave y volvió para cerrarla.

—¡Oh no! —exclamó Tom.

El hombre se colocó en la puerta de entrada, y la madre de Alicia entró de nuevo en casa.

—Bueno, es hora de irse a la cama.

—Vale —dijeron, sin ninguna intención de irse a descansar.

Entraron en sus habitaciones, esperaron a que la madre de Alicia se fuera a dormir y, entonces, salieron.

—¿Qué hacemos? —preguntó Alicia.

—La puerta de atrás es vieja. Quizás podamos abrirla con unos golpes.

—Bueno, no perdemos nada por intentarlo —dijo Alicia.

Fueron hasta la puerta y la encontraron abierta.

—Qué raro, Alicia.

—Sí que es raro. Vi perfectamente desde la ventana como mi madre metía la llave en la cerradura. Bueno, lo importante es que podemos volver a la cabaña —dijo concentrada de nuevo en su objetivo.

Fueron hasta la esquina de la casa y sacaron la cabeza con cuidado. El hombre de traje negro estaba más atento que nunca. No dejaba de mirar a uno y otro lado y caminaba alrededor de la casa.

En ese mismo momento, la madre de Alicia salió por la puerta de entrada con un café y un plato de galletas. Se puso a hablar con el hombre de traje negro, que quedó de espaldas a ellos. Aprovechando la situación, salieron hacia la cabaña.

—¡Qué suerte hemos tenido! ¿Crees que tu madre nos habrá visto?

—No sé —dijo Alicia pensativa. Había algo que no le encajaba.

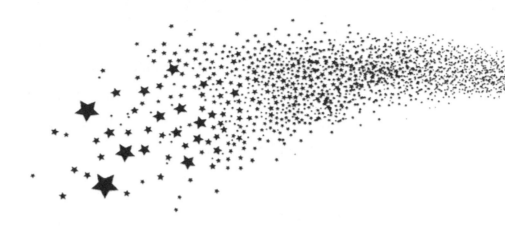

CARMEN, PINTURA Y FUEGOS ARTIFICIALES

El pueblo estaba totalmente vacío. No encontraron a nadie por el camino.

—Tom, necesitamos un plan. Aunque consigamos llegar a donde están los oxys y se vayan a su planeta, cuando lleguen los del Servicio de Seguridad Nacional verán todo lo que hay allí: las sillas-huevo donde duermen, esas flores tan raras que comen y la pista de despegue de las naves. Y también tienen la foto del oxy. Ya no podrán volver a las montañas nunca más.

—Tienes razón —dijo Tom.

Entraron en la cabaña y se sentaron uno frente al otro encima de la mesa. Tenían que pensar algo pronto. Les preocupaba no tener tiempo suficiente. Seguramente al amanecer los submarinistas volviesen a la entrada y no tardarían mucho en abrirla.

Después de un rato, Alicia llamó a Aurelio con el móvil de Tom.

—Aurelio, soy Alicia. Tenemos que hablar.

Aurelio se había despertado al sonar el móvil y le costaba reaccionar.

—¿Qué ha pasado? —preguntó con los ojos cerrados todavía.

—Aurelio, hay algunas cosas que no te hemos contado. Necesitamos tu ayuda.

—A ver, ¿pero dónde estáis?

—En la cabaña.

—¿En la cabaña del abuelo? ¡¿A estas horas?! ¿Y tú abuela? —exclamó sentándose en la cama. Habían conseguido, por fin, despertarle.

—La tienen retenida con el abuelo. Por favor, Aurelio, tienes que confiar en nosotros. Esto es muy importante.

—Vale —dijo después de unos segundos—. Espero no arrepentirme de esto. No quiero tener problemas con el cascarrabias de tu abuelo. ¿Qué necesitáis?

—Unos fuegos artificiales.

—No puede ser, son peligrosos.

Aurelio era el encargado de tirar los fuegos en las fiestas del pueblo, así que siempre tenía alguno.

—Por favor, Aurelio, te prometo que no los vamos a usar.

Solo queremos ayudar al abuelo.

Pensó unos segundos. Sabía que eran traviesos, pero no eran malos chicos.

—Vale —dijo finalmente, aunque no muy convencido.

—También necesitamos pintura. ¿Tienes?

—Tengo, sí.

—¡Genial! Y también necesitamos... —Alicia no se atrevía a decirlo— a Carmen.

—¿A Carmen? Eso sí que no.

Carmen era la mascota del pueblo, una gran manzana tallada en madera por el mismísimo Aurelio, que además de lechero era muy artista. Carmen presidía las fiestas en honor a la bebida típica de la zona, que se hacía con esa fruta. Además de adornar, también se podía rellenar con bebida y servirse a través de un pequeño tubo.

—¡Por favor, Aurelio! Prometemos ayudarte a hacer otra.

—¿No me la vais a devolver? ¡¿Qué le vais a hacer?! —Era la primera vez que veían a Aurelio afectado por algo. —Venga, voy enseguida —dijo con un suspiro.

No tardó en llegar. Llevaba un maletín de pinturas, tres fuegos artificiales y a Carmen. Los miró y, sin decir palabra, les dio los fuegos y las pinturas. Luego extendió sus brazos para entregarles a Carmen, pero le costaba soltarla.

Alicia le tocó el brazo.

—Aurelio, lo estamos haciendo por una buena causa. Confía en nosotros —dijo mirándole a los ojos.

—Claro que sí —contestó entregándosela—, pero yo de aquí no me muevo. —Y se sentó en una roca a la entrada de la cabaña.

Agarró una hierba seca, se la metió en la boca y estiró las piernas como si fuera a pasar ahí un buen rato.

—Vale —dijeron los dos mirándose.

Iban a entrar en la cabaña, pero Alicia lo pensó mejor. Dio la vuelta y se acercó a Aurelio. Sentía que podían confiar en él, así que lo soltó.

—Aurelio, seguro que tú lo harás mejor que nosotros. Necesitamos pintar a Carmen como el extraterrestre de la foto que ha salido en la tele.

—¿Eh? —Aurelio levantó la cabeza y la hierba se le cayó de la boca.

Se puso de pie lentamente, agarró a Carmen e hizo una mueca con la boca.

—Que me parta un rayo —dijo sin dejar de mirarla.

La posó en una roca, y Alicia le acercó las pinturas.

Aurelio abrió el maletín y sacó un pincel.

—El extraterrestre no tiene rabito —dijo Tom con miedo ante lo que estaba insinuando.

—Lo sé, lo sé —contestó Aurelio mientras rompía el rabito de la manzana y estropeaba su mejor obra para siempre.

Después con los pinceles y comenzó a pintar los grandes ojos negros del oxy. Los niños iban haciendo sugerencias para que se pareciese lo más posible.

Le pintó la piel exactamente del mismo verde y luego hizo la pequeña boca en forma de sonrisa.

—¡Está perfecto! —exclamó Alicia.

Aurelio también se sentía un poco orgulloso de lo bien que le había quedado, aunque seguía sin olvidar que allí debajo estaba su apreciada Carmen.

—Ahora hay que darle aire para que seque —explicó Aurelio.

Los dos amigos entraron en la cabaña y volvieron con tres libros. Abanicaron a la nueva Carmen hasta que estaba lista.

Alicia abrazó a Aurelio.

—Muchas gracias, Aurelio. Hablamos cuando todo esto pase.

Aurelio volvió a sentarse en la roca en silencio.

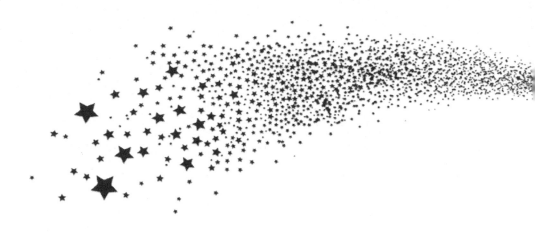

EL VUELO

Entraron en la cabaña, cerraron la puerta y bajaron otra vez por el agujero.

Tom se puso delante de la canica con las manos en forma de flecha y canturreo las tres notas que el abuelo le había dicho a Alicia.

No pasó nada.

Volvió a hacerlo procurando afinar lo máximo posible, pero no funcionaba.

Oyeron unas voces arriba y subieron. Era el profesor Friedman y el inspector Carrón hablando con Aurelio fuera de la cabaña. Los escucharon desde dentro sin salir. El hombre de traje debía haber descubierto que la mini puerta estaba abierta.

—¡Ya sabía yo que estarían en la cabaña tramando algo!

¿Qué hacen ahí? ¡Déjenos pasar! —gritaba el profesor.

—No va a ser posible —dijo Aurelio que ya había recuperado la compostura.

—A ver, profesor, están ahí dentro, ¡no va a pasar nada! —le decía el inspector Carrón que ya estaba un poco cansado de él.

—¡Son muy listos! Nunca se sabe lo que pueden hacer. ¡Déjeme entrar!

—No puedo —contestó Aurelio sin inmutarse.

—Tom, vamos a bajar. Tenemos que descubrir cómo abrir la canica. No sabemos si el profesor Friedman va a conseguir entrar en la cabaña

Bajaron deprisa y volvieron a probar las notas.

—Estamos haciendo algo mal, Alicia. Quizás no esté cantando bien las notas, no es tan fácil —comentó Tom apoyándose en la pared del túnel—. «Árbol muerto»… Eso también tiene que significar algo —dijo rascándose la frente.

—Tom, ¿qué tienes en las manos? Te has puesto toda la frente negra —dijo Alicia.

Tom se miró las manos y luego miró la pared del túnel.

—Es carbón.

Toda la zona estaba llena de yacimientos de carbón.

—Carbón… ¡Carbón! ¡El carbón es el «árbol muerto»! ¡El carbón se forma con los árboles y plantas que quedan muertas en la tierra durante millones de años!

Tom posó las manos manchadas de carbón sobre la canica.

Inmediatamente apareció un pequeño agujero que se fue haciendo cada vez más grande.

—¡Bingo! —gritó Alicia.

Estaba orgullosa de Tom. Sabía un montón de cosas que siempre les resultaban útiles en sus aventuras.

Entraron dentro. Era difícil mantenerse de pie porque el interior era también totalmente esférico. El agujero se cerró y, casi al instante, comenzaron a flotar. Se pusieron a reír sin parar. Era lo más divertido que habían sentido nunca.

—Tom, tenemos que concentrarnos. ¡Las notas! —dijo Alicia intentando mantenerse quieta—. Estoy segura de que la canica nos llevará a las montañas donde están los oxys.

Tom repitió para sí mismo una escala de notas buscando exactamente como sonaban el do, el sol y el mi.

—Do, re, mi, fa, sol, la, si, do —murmuró—. Allá voy — dijo carraspeando.

Miró al frente y puso las manos en forma de flecha de nuevo mientras cantaba las tres notas. Apareció ante ellos un dibujo iluminado de unas montañas.

—Deben ser las montañas de los oxys —comentó Tom.

La canica comenzó a rodar lentamente. Seguían flotando, así que el giro de la canica no les afectaba para nada. Empezaron a moverse por el túnel. Cada vez iban más deprisa. El túnel bajaba por el interior de la montaña, y la canica rodó por él hasta que salió volando a través de un agujero en el terreno hacia el cielo.

Era completamente transparente. Podían ver las estrellas, el pueblo y las montañas desde allí.

—Increíble —exclamó Alicia.

Tom encogió las piernas con las rodillas en el pecho y dio varias vueltas seguidas. Alicia probó a lanzarse de un lado a otro de la canica. ¡La sensación era genial!

Los fuegos artificiales y Carmen flotaban también entre ellos.

Con tanta diversión, no se dieron cuenta de que la nave no se dirigía hacia las montañas del pueblo, ni mucho menos.

Alicia paró de hacer piruetas y miró hacia abajo. Estaban pasando sobre una gran ciudad repleta de luces y edificios altos. Eso no era el pueblo ni nada que estuviera cerca.

—Tom, no vamos a las montañas de los oxys.

Tom, se puso cabeza abajo y miró la ciudad.

—¿Dónde estamos? —preguntó.

—No lo sé. —Entonces Alicia la vio, perfectamente iluminada y reflejada en el agua—. Es la Ciudad de las Artes y las Ciencias. La visitamos el año pasado con el colegio. ¡Estamos volando sobre Valencia!

—¿Valencia? Pero ¿a dónde nos lleva?

Se quedaron mirando como la ciudad se alejaba. La canica ahora volaba sobre el mar. Iba muy rápido.

Se quedaron boca abajo tratando de adivinar hacia dónde se dirigían.

—Quizás no hice bien alguna de las notas y por eso nos lleva a otro lugar.

—Sí, seguramente es eso —dijo Alicia—. No te preocupes, encontraremos la forma de volver.

—¡El Coliseo! —exclamó Tom señalando hacia abajo—. Estamos pasando por Roma.

Casi no había terminado la frase y ya estaban sobre el mar de nuevo. La canica iba cada vez a más velocidad.

Pasaron por encima de un desierto y luego se aproximaron a otra ciudad. Parecía muy moderna. Había un edificio altísimo que terminaba en punta. La canica iba directamente hacia él.

—¡Nos estamos acercando demasiado! —gritó Tom alarmado.

Se taparon la cara con las manos. Iban a chocar. Pero, en el último momento, la canica dio un giro inesperado y pasó rozando la punta del edificio.

Los dos respiraron aliviados.

Alicia estaba intranquila. ¿Cómo iban a volver al pueblo?

—Alicia, estamos sobrevolando la India.

—¿La India? ¿En serio? —preguntó mirando la ciudad por donde pasaban.

Donde estaban ahora era de día.

—Ahí está el Taj Mahal —dijo Tom señalando un precioso edificio blanco rodeado de jardines.

La canica iba ya más despacio. Llegaron a una zona de montañas nevadas y altísimas. Una de ellas sobresalía de las demás y su cima estaba envuelta en nubes. Las vistas eran preciosas. Se quedaron callados mirándolo todo mientras la canica empezaba a descender.

Definitivamente Tom había cantado mal alguna nota y los había llevado a las montañas equivocadas.

La canica se posó sobre la nieve.

—¿Qué hacemos ahora? —preguntó Tom.

—Creo que le hemos cortado el paso a alguien —dijo Alicia señalando hacia el otro lado.

Detrás de ellos había un hombre subido a una especie de toro con el pelo larguísimo y adornos en los cuernos.

El animal no parecía muy impresionado por la aparición. Se acercó a la canica y le metió una lametada. Tom se echó para atrás en un gesto reflejo.

—Es un yak —dijo Alicia, a la que, al igual que a su abuela, le encantaban los animales. —Creo que estamos en el Himalaya.

El hombre bajó lentamente del yak sin quitarles ojo.

Entonces Alicia vio algo.

—Tom, ¡una flauta! ¡El hombre tiene una flauta! Con una flauta podrías tocar las notas exactas.

Entre las ropas de colores, metida en el cinturón, asomaba una flauta de madera.

—¿Crees que nos la dará?

—Tenemos que intentarlo. Prepárate para un poco de aire fresquito, Tom.

Tom tocó la canica. Dejaron de flotar y un agujero se abrió. El hombre dio un paso atrás.

Un aire congelado entró en la canica. Alicia puso un pie sobre la nieve. No iban muy abrigados y enseguida se pusieron a temblar. Se acercó al hombre, que dio otro paso atrás asustado.

Alicia señaló la flauta. El hombre se miró el cinturón y sacó la flauta rápidamente. La dejó en el suelo y dio otro paso atrás. «Creo que nos daría cualquier cosa que le pidiéramos», pensó Alicia mientras sonreía y recogía la flauta.

—Mu- mu- mu- chas gra-gra-gra-cias—dijo castañeando los dientes.

Volvió a la canica, esta se cerró y empezaron a flotar otra vez.

Tom colocó los dedos en la flauta, y Alicia trató de poner las manos en forma de flecha. Tom tocó las notas. Tuvo que hacer varios intentos para mantener los dedos sobre los agujeros. A Alicia le temblaban tanto las manos que le era imposible tocar los dedos por la punta sin que se separaran.

El hombre los miraba atónito.

La nave empezó a girar despacio montaña abajo y el hombre se apartó corriendo. Fue cada vez más y más deprisa hasta que salió volando alejándose de la Tierra a gran velocidad.

—¡Tom! Hay que hacerlo otra vez —dijo Alicia tiritando.

La canica se alejaba cada vez más del planeta hasta que pudieron ver su forma redondeada.

Por suerte la canica tenía una temperatura perfecta y poco a poco volvían a sentirse mejor, pero la situación les estaba poniendo nerviosos. ¡Quién sabe a dónde les llevaría si no hacían algo!

Alicia volvió a poner las manos en punta y Tom volvió a tocar las tres notas. Inmediatamente la canica se paró. Cruzaron los dedos mientras miraban maravillados el planeta Tierra.

La canica descendió y, a cierta altura, comenzó a moverse de nuevo en paralelo a la Tierra. Volvieron a pasar por encima de ciudades y mares hasta que, en unos minutos, reconocieron perfectamente dónde estaban. La canica iba mucho más lenta, ya veían el pueblo.

—¡Por fin! —exclamó Tom dándole un abrazo a Alicia.

Con el impulso, los dos giraron a la vez y Alicia rió de alegría.

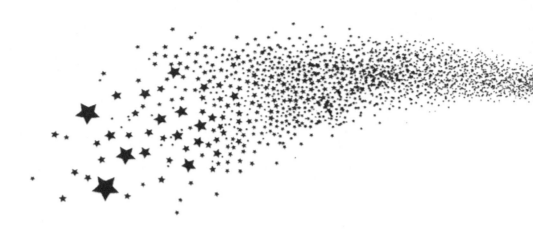

EL PLAN

Se dirigían hacia las montañas. Aún era de noche, pero no faltaba mucho para que amaneciese, así que tenían que darse prisa.

Una vez sobre las montañas, la canica descendió entre ellas y enseguida llegaron al Centro de Educación para Oxys. Los amigos salieron de la canica aún afectados por la intensidad de la experiencia que acababan de vivir.

Pronto se vieron rodeados por varias personas en pijama y algún que otro oxy.

—¡Alicia, Tom! ¿Qué hacéis aquí? —dijo el profesor Bungay dándoles unas mascarillas transparentes para que pudieran respirar.

Los oxys necesitaban más oxígeno que los humanos, así que habían puesto bombas de oxígeno por toda la zona.

—Tenemos que evacuar a los oxys. El profesor Friedman tiene una foto de uno de ellos, y los del Servicio de Seguridad Nacional están intentando abrir la entrada para llegar aquí. Tienen que irse a su planeta enseguida —explicó Alicia apresuradamente.

Cada vez había más oxys y profesores que se acercaban para saber qué pasaba. Al oír la noticia, los oxys se pusieron de un color violeta muy raro que nunca antes habían visto.

—Es de noche y hay Luna Nueva. Las naves se verán despegar perfectamente desde el pueblo —explicó el profesor Bungay.

—No te preocupes, tenemos un plan —dijo Tom.

—Lo importante es que no encuentren a los oxys, profesor Bungay —dijo Alicia.

—Tenéis razón.

Se fue a hablar con uno de los oxys. Al rato, el oxy se dirigió a sus compañeros haciendo gestos con las manos y emitiendo sonidos musicales. Los oxys empezaron a moverse.

Se notaba que aún estaban medio dormidos. Casi todos habían escondido el cuerpo en su enorme cabeza y rodaban de un lado a otro intentando organizarse, chocando de vez en cuando entre ellos.

Finalmente, formaron una fila que llegaba hasta la pista de despegue donde estaban las canicas. Iban en pequeños grupos que parecían familias. Algunos llevaban oxys bebés que asomaban sus ojitos desde unas bolsas parecidas a las que los canguros tenían en su barriga.

Alicia y Tom estaban al lado de las canicas con el profesor Bungay. La primera familia en la cola se acercó a ellos. Uno tomó las manos de Tom mirándole fijamente y entonó unas notas musicales. Luego hizo lo mismo con Alicia.

—Os están dando las gracias —explicó el profesor Bungay.

—¡De nada! —dijeron con una sonrisa de oreja a oreja.

En unos minutos los oxys estarían a salvo. Estaban felices y orgullosos de sí mismos.

—Buen viaje —dijo Alicia pensando si alguna vez tendrían la oportunidad de conocer el planeta Oxy.

Alicia se dio cuenta de que el tacto de sus manos era suave como cuando tocabas el polvo del carbón. Probablemente por eso se abría la canica cuando se manchaban las manos con él.

Los oxys se acercaron a la canica, la tocaron y se abrió un agujero. Entraron y la nave rodó por la pista hasta que salió disparada hacia el cielo. Así, una tras otra, las canicas se fueron llevando a los oxys a su planeta.

Se habían quedado con la canica del abuelo por si la necesitaba en caso de emergencia, así que la metieron en una pequeña cueva y taparon la entrada con ramas.

Ya estaba amaneciendo. Alicia y Tom le explicaron su plan al profesor Bungay. Luego el profesor reunió a los demás profesores y les dijo lo que tenían que hacer.

Lo prepararon todo. Se respiraba un ambiente tenso. No podían más que cruzar los dedos y esperar que todo saliese bien.

—¡Ya vienen! —gritaron algunas personas colocadas en la entrada.

Todos corrieron a sus puestos. Alicia y Tom se escondieron detrás de unos matorrales justo cuando la puerta se abría.

—¡Servicio de Seguridad Nacional! —gritaron los hombres de traje negro apuntando a todos con sus pistolas.

Se notaba que estaban nerviosos. El tema de los extraterrestres era, probablemente, la misión más extraña a la que se habían enfrentado nunca. Con ellos iba el profesor Friedman que inmediatamente miró a su alrededor buscando algún oxy.

—¡¿Dónde están los extraterrestres?! —gritó.

El profesor Bungay se acercó a ellos echando las manos a la cabeza.

—¡Oh no! ¡Nos han descubierto! —gritó—. Por favor, pónganse estas mascarillas, si no, no podrán respirar —dijo entregándoles unas mascarillas transparentes que llevaba metidas en el bolsillo.

—Soy el inspector Carrón. ¿Dónde están los extraterrestres? —preguntó colocándose la mascarilla.

—¿Los extraterrestres? ¡Muy pronto contactaremos con ellos, inspector Carrón! Nuestros superfuegos artificiales supersónicos nos permitirán enviarles señales allí donde estén. ¡Estamos a punto de inventar un fuego artificial que llegará más allá de la Vía Láctea! —exclamó extendiendo sus brazos hacia el cielo.

Luego se echó a reír de manera exagerada. Se había despeinado el pelo para meterse más en el personaje. Los del Servicio de Seguridad Nacional lo miraban confusos.

Alicia y Tom observaban la escena nerviosos y divertidos al mismo tiempo. Parecía que el profesor Bungay tenía dotes de actor.

—¡¿De qué está hablando?! ¡Los extraterrestres viven aquí desde hace años! —exclamó el profesor Friedman.

—Vengan, les enseñaré —dijo el profesor Bungay.

Le siguieron hasta el centro de la explanada donde habían colocado una mesa con los tres fuegos artificiales.

—Van a presenciar el lanzamiento de un superfuego supersónico de gran alcance —dijo sujetando uno de ellos como si fuera lo más valioso del mundo.

—Pero ¿cómo va a comunicarse con los extraterrestres con un fuego artificial? —preguntó el inspector Carrón frunciendo el ceño.

El profesor Bungay rompió a reír de nuevo, moviendo la cabeza en círculos y dejando a los hombres totalmente desconcertados. Su pelo parecía cada vez más revuelto.

—Además de recorrer distancias insólitas, el ruido de estos fuegos es de una intensidad sin igual. ¡Los extraterrestres nos escucharán estén donde estén! —decía haciendo gestos triunfales con las manos.

Alicia y Tom casi no podían contener la risa.

El profesor Friedman parecía que iba a explotar.

—¿Qué tonterías está diciendo?

—Esta noche hemos visto las naves espaciales despegando desde aquí. Confiese la verdad —dijo el inspector Carrón.

—¿Las naves? —El profesor Bungay puso cara de no entender—. Se refiere a las pruebas, supongo. Hemos lanzado al espacio cientos de nuestros superfuegos. ¡La investigación está llegando a su fin! ¡Los resultados han sido extraordinarios! —exclamó cerrando el puño con gesto victorioso

En ese momento tomó uno de los fuegos artificiales y encendió la mecha. Era la primera vez que hacía algo así y el pulso le temblaba. El fuego salió haciendo eses hasta chocar con una de las paredes de piedra que bordeaban la explanada. El tremendo ruido rebotó en las montañas, y todos dieron un paso atrás sobresaltados. El profesor Bungay tardó unos segundos en recuperarse, pero enseguida volvió a su personaje.

—No ha llegado muy lejos —dijo el inspector Carrón levantando las cejas.

—Perdonen, hemos estado haciendo pruebas durante horas y estoy cansado.

—Entonces, ¿las luces que hemos visto eran los fuegos artificiales? —preguntó el Inspector.

—Por supuesto —respondió el profesor Bungay.

—Pero ¿qué dice? ¡Son todo mentiras! ¡Seguro que han evacuado a todos los extraterrestres y están en su planeta! ¡Y esas flores tan raras! ¿Cómo explica eso? ¿Eh? —dijo señalando al campo de flores que comían los oxys, que eran parecidas al algodón, pero de colores. El lugar estaba plagado de ellas. Se las traían del planeta oxy para que pudieran alimentarse allí.

—Este es nuestro secreto más importante, nuestro mayor logro —dijo el profesor acariciando una y admirándola —. Es lo que hace que los fuegos lleguen tan lejos y tengan ese sonido tan fuerte al explotar. Añadimos su polen a la pólvora. Son un cruce entre la flor del algodón y el geranio —explicó tan convencido como si estuviera afirmando que el cielo era azul.

—¡¿Qué dice?! —gritaba el profesor Friedman—. ¿Y cómo explica que tengamos que llevar mascarillas?

—Nuestras valiosas flores se marchitarían con el aire normal, por eso tenemos bombas de oxígeno, para que las flores puedan crecer sanas. Nos desmayaríamos con tanto oxígeno si no llevásemos mascarillas.

—¿Qué? —dijo el profesor Friedman, que solo le faltaba tirarse de los pelos—. Díganos dónde están los oxys. ¡Tengo una foto que prueba su existencia! —exclamó sacando el móvil con la foto del oxy en modo bola.

—Ahhhh, Oxy. ¡Claro que sí! ¡Haberlo dicho antes, hombre! —exclamó el profesor Bungay—. Acompáñenme.

El profesor les enseñó la cueva donde descansaban los oxys. Ahora era totalmente distinta. Habían llevado unas mesas del comedor, y varias personas charlaban y reían sentadas en las sillas-huevo, donde normalmente dormían los oxys en modo bola.

—Aquí pueden quitarse las mascarillas —dijo en cuanto se cerró la puerta de cristal. Habían apagado las bombas de oxígeno de la cueva para que se pudiera comer y beber allí.

Al fondo habían puesto un mueble de la oficina del profesor Bungay con una cafetera, y al lado estaba Carmen, la manzana de madera que Aurelio había pintado de oxy. La habían llenado de zumo y, de vez en cuando, se servían en vasitos a través de un pequeño tubo que le salía justo de la boca.

—¿Qué les parece nuestra sala de desayunos? Bonita ¿verdad? Y aquí está Oxy —dijo el profesor Bungay señalando a Carmen—. Así es como hemos bautizado a nuestro extraterrestre. Está hecho de madera. ¿Verdad que es gracioso? ¿Se imaginan que cuando encontremos a los extraterrestres se parezcan a Oxy? —preguntó, y volvió a reírse echando la cabeza hacia atrás.

Los hombres del Servicio Seguridad Nacional habían guardado las armas y parecían más relajados.

—¡Noooooo! ¡Aquí es donde duermen los alienígenas! —gritaba el profesor Friedman desesperado.

—¿En una cafetería? —dijo el inspector mirando cabreado al profesor Friedman.

—¡La pista! ¡La pista de aterrizaje! —gritó saliendo de la cueva y corriendo hacia la zona donde despegaban las canicas—. ¿Cómo puede explicar eso?

—preguntó señalando la pista que iba de un lado a otro de la explanada.

Los demás le siguieron.

—¿Se ha vuelto loco? ¿De qué está hablando? —dijo el profesor Bungay—. Esto no es una pista de aterrizaje. Aquí es donde corremos y hacemos ejercicio.

En ese momento una mujer y un hombre pasaron «casualmente» en chándal dando saltitos y levantando las rodillas hasta el pecho.

—No salimos mucho de aquí y mantenernos en forma es muy importante —explicó el profesor Bungay.

La pareja hacía ahora unos abdominales con las caras rojas por el esfuerzo. El profesor Bungay rezaba para que no se dieran cuenta de que, en realidad, en vez de chándal ¡llevaban pijama!

Alicia y Tom miraban escondidos todo lo que estaba pasando cuando, de repente, Tom vio algo cerca de la entrada. ¡Era Oxylui!, se había perdido la evacuación! El plan podía venirse abajo si lo descubrían. ¡Sería un desastre!

Se había puesto de un color rojo intenso, probablemente estaba asustado y no entendía lo que pasaba. No podían hacer mucho ya. Tom y Alicia le hicieron gestos para indicarle que se pusiera en modo bola para ser menos visible. Oxylui lo entendió. Escondió su cuerpo en su cabezota y se quedó quieto tras una roca.

—¡Seguro que esos niños tienen algo que ver en esto! —gritaba el profesor Friedman.

—Profesor Friedman, esos niños no han salido de la cabaña —dijo el inspector—. Está claro que aquí no hay ningún extraterrestre. Nos ha causado muchos problemas. ¿Sabe lo que ha costado traer a todos mis hombres?, ¿y los helicópteros?, ¿y los submarinistas? ¡Qué va a decir la gente! ¡Seremos el hazmerreír del mundo entero! Me temo que está usted detenido.

Dos de los hombres sujetaron al profesor Friedman por los brazos.

—Pero...

—¡Pero nada! Profesor Bungay, siento mucho todo esto. Le deseo mucha suerte con su investigación. Seguro que pronto contactará con los extraterrestres —dijo el inspector, más que nada por ser amable, porque en realidad pensaba que era solo un científico chiflado, al igual que el profesor Friedman. ¡Cómo se le habría ocurrido hacerle caso!

Fueron hacia la puerta de salida. El profesor Friedman iba gritando y trataba de soltarse de los hombres que le sujetaban.

Justo cuando estaban abriendo la puerta para volver al tubo, el profesor Friedman vio algo.

—¡Un oxy! ¡Está ahí! ¡Un oxy!

Había visto a Oxylui. El corazón de Alicia y Tom iba a explotar.

Los hombres le ignoraron y siguieron adelante cerrando la puerta tras ellos mientras el profesor Friedman pataleaba y gritaba con impotencia.

Esperaron unos momentos para asegurarse que ya estaban lejos y entonces los dos amigos salieron de su escondite dando saltos de alegría. El profesor Bungay y otras personas se acercaron a abrazarlos.

El plan había salido casi perfecto. Oxylui se acercó rodando y sacó su cuerpo poniendo cara de culpable.

—Oxylui, casi nos metes en un lío —dijo Alicia.

El profesor Bungay se acercó.

—Oxylui, ¿qué haces aquí?

El oxy miró al suelo haciendo gestos con las manos y emitiendo unas notas musicales.

—Parece que se quedó dormido en el restaurante. Comer y dormir son sus actividades favoritas —dijo el profesor Bungay poniéndole la mano en el hombro para animarle.

Le explicaron todo lo que había pasado a Oxylui, que no dejaba de mirar el pelo del profesor Bungay, y sacaron la canica del abuelo de la cueva para llevarle a su planeta.

—Muchas gracias a los dos. No sé qué hubiésemos hecho sin vosotros —dijo el profesor Bungay antes de meterse en la canica con Oxylui. —Voy a acompañarle, volveré enseguida.

Podéis quedaros el tiempo que queráis.

—Gracias, pero tenemos que volver antes de que mi madre se entere de que no estamos durmiendo en la habitación —dijo Alicia.

El profesor Bungay soltó una carcajada, esta vez de las auténticas, y la canica se cerró.

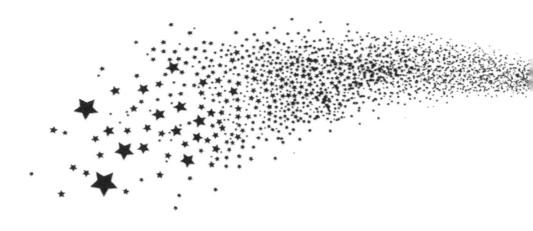

EL PREMIO

Cuando llegaron al pueblo, todos los periodistas y los hombres del Servicio de Seguridad Nacional se habían ido.

Aún era muy temprano, así que entraron por la mini puerta, se pusieron los pijamas sin hacer ruido y fueron al salón. Los padres de Tom acababan de llegar, y el abuelo les ponía una bandeja de galletas en la mesa.

—Buenos días, dormilones —dijo la madre de Alicia abrazándola.

—¡Alicia! —exclamó la abuela dándole una metralleta de besos.

Alicia y Tom tenían un aspecto cansado pero feliz.

—¿Estáis bien? —preguntó el padre de Tom al ver las ojeras—. Parece que no hayáis dormido en toda la noche.

—Estamos bien, papá —dijo Tom.

El abuelo los miraba con media sonrisa. Todos escuchaban las noticias.

—Parece que en las montañas no se esconde ningún alienígena. La foto del profesor Friedman era en realidad un muñeco hecho de madera. Los hombres del Servicio de Seguridad Nacional sólo encontraron unos científicos haciendo pruebas con fuegos artificiales —decía el presentador.

—Todavía no me puedo creer que pensaran que había extraterrestres escondidos en las montañas. ¿Te imaginas, Tom? —preguntó su madre revolviéndole el pelo.

—Sería genial —dijo Tom. ¡Si ellos supieran!

—Parece que el tema de los extraterrestres está de moda. Varias personas del sur de Europa y Asia dicen haber visto una bola de luz atravesando el cielo a gran velocidad. Además, un sherpa del Himalaya asegura haber tenido contacto con dos extraterrestres, los cuales le pidieron una flauta para llevársela de recuerdo a su planeta —decía el presentador.

—¡Pero qué locura! —exclamó el padre de Tom.

Alicia y Tom se miraron divertidos.

—Se cree que el suceso en los Picos de Europa puede haber creado una psicosis entre la población mundial —El hombre parecía molesto por tener que dar esas noticias tan tontas.

—Dejad que vuestros padres se tomen tranquilamente el café. Ha sido una noche complicada —dijo el abuelo guiñándoles un ojo.

—Claro, abuelo.

Los llevó a su oficina y cerró la puerta. Se dio la vuelta y los miró. Los ojos le brillaban de emoción.

—¡¿Sabéis lo que habéis hecho?! —exclamó abrazando los dos a la vez y levantándolos en el aire—. ¡Sois mis héroes!

Se rieron a carcajadas. ¡Se sentían tan bien!

—¡Ha sido genial! —dijo Alicia riendo.

—¡Y esa idea de los fuegos artificiales! ¡Es de genios! ¿Y el oxy de madera? ¿Cómo se os ha ocurrido?

—Es Carmen —contestó Tom con cara de circunstancia.

—¿Carmen? Oh no pobre Aurelio.

—Sin Aurelio no lo hubiésemos podido hacer —dijo Tom.

—¿Y la abuela lo sabe? —preguntó Alicia.

—Sí, lo sabe todo, pero ya no importa. Ahora que piensan que allí solo hay unos científicos chiflados tirando fuegos artificiales, nadie tendrá mucho interés. Todos estamos a salvo. ¡Y nadie creerá al profesor Friedman nunca más!

—¡Claro! ¡Ahora los Oxys podrán volver a las montañas! —exclamó Tom.

Después de contarle al abuelo como habían tramado el plan y la divertida interpretación del profesor Bungay, volvieron al salón a por unas galletas. Con todo lo que había pasado, se les había olvidado que no habían comido nada desde el día anterior.

Vieron a Aurelio por la ventana con una de sus vacas y fueron a verle.

Aurelio los miró de reojo.

—Como no salíais de la cabaña, entré. Vi el agujero en el suelo y el túnel.

Alicia y Tom se quedaron callados

—Entonces, ¿ahí arriba había extraterrestres? —preguntó Aurelio mirando hacia las montañas.

Ninguno de los dos contestó. No querían mentirle.

—Por todos los demonios —dijo apoyándose en el muro y metiéndose una hierba seca en la boca.

Alicia ya estaba de vuelta en su casa. Miraba por la ventana del moderno ático donde vivían, en uno de los edificios más altos de Madrid.

Echaba de menos el pueblo y a Tom. Le parecía casi imposible volver a su vida normal y no podía dejar de pensar en todo lo que había pasado. ¿Cómo iba a poder concentrarse en el colegio? ¿Y cómo iba a pasar el curso entero sin poder hablar con nadie de los oxys?

Alicia fue al pequeño trastero del pasillo para guardar su maleta. Mientras intentaba colocarla entre todas las cosas, algo llamó su atención. Había una caja de cartón por la que asomaba un trozo de tela blanca. Quitó lo que había encima y lo sacó. Era una bata. ¿Qué hacía allí una bata? La desdobló y, entonces, lo vio. ¡El símbolo de los oxys estaba bordado en la manga! Le vino a la cabeza la mini puerta abierta, y su madre saliendo en el momento justo a ofrecerle café y galletas al hombre de traje negro.

De pronto, su madre apareció en la puerta.

—¡Sorpresa! —exclamó, y Tom asomó la cabeza.

Alicia se levantó todavía con la bata en la mano, y su madre la vio.

—Tom, ¿qué haces aquí? —preguntó Alicia.

—Me ha traído tu abuelo. Convenció a mis padres para que me dejaran pasar aquí unos días antes de volver al colegio.

—¡Estupendo! —exclamó Alicia encantada, aunque sin olvidarse de lo que acababa de encontrar.

—Venid, tengo que enseñaros algo —dijo la madre de Alicia.

Alicia dejó la bata en la caja y los dos siguieron a su madre hasta la enorme terraza donde pasaban la mayor parte del tiempo.

Sin decir palabra sacó del bolsillo un pequeño mando donde había un botón. Apuntó al suelo y lo presionó. Oyeron una especie de zumbido, y una parte del suelo se deslizó hacia un lado dejando un agujero. Entonces oyeron otro zumbido y, poco a poco, vieron como subía por el hueco una canica gigante.

—Mamá, ¿qué significa esto? ¿Porqué tienes una canica… nave?

—Alicia —le dijo sentándose en una silla—, lo siento, tu padre y yo te hemos mentido. En realidad, no tenemos ninguna empresa de tecnología.

—¿No tenéis una empresa de tecnología? —repitió Alicia sin dejar de mirar a la canica. ¿Y qué hacéis cuando os vais de viaje?

A menudo uno de sus padres se iba un par de días, y siempre le decían que era un viaje de negocios. Alicia no preguntaba mucho y se los imaginaba en aburridas reuniones discutiendo sobre aburridos aparatos.

—En realidad somos estudiantes.

—¿Estudiantes? ¿Qué quieres decir? —preguntó Alicia confusa.

—Somos estudiantes en el planeta Oxy.

—¡¿Cómo?! —exclamaron los dos.

—Os voy a contar una historia. Cuando tu abuelo empezó a trabajar con el profesor Bungay, buscando vida en otros planetas, yo era solo una niña, aunque una niña muy curiosa, como vosotros. A menudo tu abuelo me llevaba con él al Centro de Observación donde trabajaba, y me pasaba las horas mirando por los telescopios y vigilando las pantallas de ordenador con la ilusión de recibir esa señal. Y ese día llegó.

Los amigos escuchaban sin pestañear.

—Un día oí unas notas musicales en uno de los ordenadores y avisé a tu abuelo. Todos pensaron que era simplemente una interferencia de la radio, sin embargo, yo estaba convencida de que era una señal que nos enviaban desde otro planeta, así que decidí hacer algo Grabé unas notas con el arpa de la abuela y luego cambié las señales que enviaban al espacio por mi grabación. Cuando el abuelo se enteró me echó una buena regañina, pero comenzamos a recibir una contestación también en forma de notas musicales.

—Entonces, ¡gracias a ti contactaron con los oxys! —Alicia aún no se podía creer lo que estaba pasando.

—Poco a poco consiguieron entender los mensajes musicales, y el primer encuentro se produjo en las montañas de los Picos de Europa. Fue algo extraordinario que nunca olvidaré. A partir de ahí he dedicado mi vida a estudiar la cultura oxy. Tu padre es también parte del equipo. Siento haberos mentido a ti y a la abuela, solo queríamos protegeros.

—¡Eso es genial! Así que cuando os vais, ¿voláis al planeta Oxy? —dijo Alicia entusiasmada.

—Eso es.

—¿Entonces, sabes todo lo que ha pasado este verano? —preguntó Tom.

—Claro —dijo sonriendo—. ¿Y sabéis una cosa? Habéis sido muy valientes y muy fuertes. No os habéis rendido en ningún momento. Creo que os merecéis un buen premio.

—¿Un premio? ¿Qué clase de premio? —preguntó Alicia.

—¿Qué os parece si le hacemos una visita a tu padre?

—¿Do-dónde está mi padre? —dijo Alicia que ya se imaginaba la respuesta.

—En el planeta Oxy, claro.

—¡¿En serio?! —gritaron emocionados.

—¿Estáis preparados?

—¿Ahora? ¿No tenemos que llevar nada? —preguntó Tom con la adrenalina ya por las nubes.

—Estas naves son tan rápidas que nos permiten llegar al planeta Oxy en menos tiempo del que tardas en ir al supermercado.

Su madre sacó una pequeña cajita del bolsillo y mojó su dedo índice. Tocó la superficie de la canica y esta se abrió.

—¡Vamos, entrad!

Entraron en la canica, se cerró y volvieron a sentir aquella maravillosa sensación de flotar.

La madre de Alicia hizo gestos con las manos y entonó unas notas. La canica rodó durante unos segundos y salió lanzada al espacio a una velocidad asombrosa.

Se alejaban cada vez más de la Tierra.

—Alicia, mira —dijo Tom señalando al otro lado.

Alicia se dio la vuelta y vio la Luna, enorme, brillante y misteriosa. Entonces entendió porque su abuelo siempre había estado enamorado del espacio. No le gustaba que le preguntaran que quería ser de mayor, ahora sólo pensaba en divertirse, pero en ese momento decidió que seguiría los pasos del abuelo.

Los dos miraban a un lado y a otro señalando todo lo que veían: planetas, lunas, asteroides y muchas otras cosas que la madre de Alicia les iba explicando.

En unos minutos se alejaron de la vía láctea, y la canica disminuyó su velocidad. Vieron un pequeño planeta. Cada vez se acercaban más a él. Iban a aterrizar en el planeta Oxy

Descubre el final de la aventura en

En busca de la entrada secreta 3

¡Espero que te hayas divertido!

Tu opinión es importante para mí.

Si te ha gustado, me encantaría que dejases tu valoración en Amazon

(solo busca el libro y baja hasta la sección de opiniones).

Te lo agradezco. 😊

Rosario Ana

Made in the USA
Monee, IL
09 March 2022

92558320R00057